JN063242

五行歌集

春が来たよ

萌子

市井社

春が来たよ

目次

春が来たよ

一目千本桜

白い世界にも
春の兆しを
添える
ミズナラの先が
赤く染まってゆく

自己主張していた山が
空に
同化し始めて
季節は
ほんのりと春

奥さーん、ワカメ干すのに
手を貸してけろー
背中の息子は
春の風にあやされて
きゃっ、きゃっと笑う

背中の娘が
アーウ　アーウと
反り返り
一緒に見上げれば
満開の島椿

「マツモ、ふのりはいらねぇーけ」
待ちわびた声がする
浜の風ごと
春を行商する
バッチャンの手を握る

荒藪に
打ちつける波が
島椿の骸を浚ってゆく
浮いたり　沈んだりしながら
鎮魂を詠う

ほろ苦い
ふきのとうの
天ぷらを頬張って
夫がおぉーと叫ぶ
春だ！

息子が
父親になった
あの子の手
あんなに
大きかったんだ

野菜の花の周りを
飛び交う蝶のよう
孫娘のスカート
ひらりひらり
舞う

大きくなってゆく
子供達を傍で見ていられる
ステキな仕事です
私には向いていないと
泣いてばかりいた娘からの手紙

嫁いだ娘の
代わりに植えた姫こぶしに
待ちに待った
嬉しい知らせ
伝える

敷き詰められた蕊の上を
セキレイが歩く
幽けき命の上だ
素足になり
爪先立ちで歩く

「春立ち菜」
なんて素敵なネーミング
頬張れば
ひだまりの
歌になる

何のオモテナシも出来なくてと
庭先で
かき菜を摘んで
湯がいてくれた人
柔らかな緑をいただく

春の光が
降ってきたけど
あの日が近づいてきて
塞ぐ心
悲しみを新たにする人がいる

少しは楽しいことを…と
心が動きだす
もう、いいよね
私の命を
生きても

命の源だ

ピザカフェおひさまや

雪どけ水で　溢れそうな
北上川を渡る
田圃に水が引かれれば
川底までもが見えるという
命の源だ

白鷹の
唯一の白が
眩しい
田耕しが始まったこと
教えてくれている

あっちでも　こっちでも
ごっくん、ごっくんと
音がする
田圃が動き始めた
雨を呑み込む音だ

冠水しなくなった
田圃には
早苗がゆれて
復興の一歩を
蛙が謳う

絵心なんて
全くない　夫さえ
油絵に描きてぇ〜という
みどり
萌える

このみどり
おまえは歌で
残せるのか
山が
せまる

宇宙からみれば
青い地球の
ほんのゴマ粒のような日本も
くっきり縁取られて見えるはず
日本全土が実りの黄金だ

コンバインとは
なんて優れものなんだろう
カフェの目の前の
田圃一枚が
コーヒー一杯で刈り取られた

空気が急に
冷たくなる
何処かで夕立か
雨の
甘い匂いがする

セージの花の細い茎に
しがみつく
セミの脱け殻
私の庭で育った命が
飛び立った

着床寝から
目覚める時は
母の胎内から
生まれ堕ちたみたいに
歌が生まれる

鶏小屋の屋根から
麦藁を抜いて
粉せっけんで作った
シャボン玉は色が濃くて
虹を抱くよう

羽化したばかりの蝉が
カラスに
追われている
自然の摂理とは
虚しいものだ

あれは夢だったのか
父と二人で
薄暗い林の中
木の蜜を吸う
大群の紫の蝶を見たこと

誰かの人生が
私を動かしている
祖先より　繋がっている
命だと思えば
動くしかない

愛された記憶

父母の結婚式

亡き父が
逢わせてくれたのは
故郷の冷たい水で
コンニャク作りに精を出す人
財産となる

命があればこそ
感じる痛みだ
いつか誰かの
肩を抱くかもしれない
痛みだと思って　背負う

裸同然で嫁に来たと
義父に罵られたが
両親から貰った
この強靭な心のおかげで
今　此処にいる

身につけた事は
誰も盗んでいかない
幼い頃
祖母はそう云って
私を躾けた

かけ値なしで
愛された
記憶の中で
休めたい
羽根がある

かつて
愛をくれた人達に
恥じてはいないか
自分の基準は
いつも、そこにある

どうやら私は
弱っているらしい
だから　こんなにも
月の光を
纏っている

父も母も
眺めただろうか
特別なスーパームーン
今度みられるのは
孫が還暦を迎える頃

迷子のよう

河口湖・大石公園

寒さの中で
毅然と佇む裸木
その骨格に
義父のプライドを
重ねてみる

デイサービスに通う
義父を見送ったあと
事務所に戻れば
義父がいない事の不安に
押し潰されそうなのは　私

可愛がられた
認識がないという娘が
義父の手を握りしめた
意識がないはずなのに
ツーと一筋の涙

長い間の確執が
ほどけてゆくように
夫は
旅立ちの近い義父と
親子の時間を過ごしている

歩く道は
義父が用意して
くれていたのだ
今、旅立ちのとき
私は迷子のよう

希望の音

大衡村(おおひらむら)・昭和万葉の森

俺が信じられなかったのか…と夫
あなたは
子供達を守るためなら
命だって厭わない
立場の人

あの朝聞いた
ヘリコプターの
ホバリングは
腹底に響く
希望の音だった

町ゆく人の
眼差しは
津波の
どす黒い
色をしたまま

父親の安否を
不安がる子らに
お父さんは、大丈夫だから
と言い切る
一番、心細いとき

よほど
恐ろしい思いをしたのだろう
初めてみる
夫の
虚ろな瞳

大丈夫かと
聞かれるから
大丈夫と応えるが
辛いかと聞かれても
やっぱり大丈夫と応えてる

文字力に
力を貰う
頭の手術をした友が
私を案じて書いてくれた
だ・い・じ・ょ・う・ぶ・か

ばかだなあ
人に
何を期待する
誰だって自分の事で
必死なんだ

自分に出来る事は
やってきた
そうさ
自分に出来ることで
それ以上ではないんだ

綿花の花が咲いた
津波で使えない
田圃の塩分を吸い上げて
女の唇の
薄い紅の色

ショベルカーが
腕(かいな)を振り下ろせば
ぐわ～んと
崩れ落ちる壁
人の営みが崩れて散る

津波の跡は
戦後の焼け野原
皆、俯き
家族を求めて
彷徨っていた

戦後の混乱から
人は立ち直った
あの絶望から
もう一度　顔を上げた
今、慟哭の土に立つ

幼子の手を
握りしめて歩く若い母親が
娘と重なる
大丈夫？　と声をかけたら
涙目で頷いた

手押し車を押して
水を運ぶ老婆
手を貸してあげられない
自分の不甲斐なさに
唇を噛む

震災が露わにした
人の裏表を
骨を拾いながらも
許すことが出来ない
私は　その程度の人間なのだ

真一文字の翼

美ヶ原高原・王ヶ頭

一枚、一枚拾って洗った
雄勝玄昌石のスレートが
東京駅舎の屋根になった
歴史に刻まれる
作業を成した

心が萎えた子供達に
自分の心の栄養を
与えている夫
その基を作るのが
私の役目

迷うことばかりで
空を見上げれば
やれる事からやればいいと
イヌワシ
真一文字の翼を返す

セメントが足りないと
また　ひとつ
山が削られた
そこで生きる
蟬の命ごと

命を守るための
防波堤の建設だと言われても
四メートルの高さで
張り巡らされたら
人は　呼吸さえできない

鮭が遡上する川を
津波が上がってくる
私達は　まだ
こんな恐怖の中で
生きている

孫に名前を付けられて
復興作業中の
クレーン車は
いつにも増して
頑張っている

復興してゆく町は
私の知らない町
すれ違う人も
店屋の人も
何処かよそよそしい

あれって
作りものの映像でしょ
バーチャルの世界でしか
生きていない
可哀想な若者の言葉

川開きの花火の音が
日和山の桜にぶつかり
木霊を呼ぶのか
足元は海となり
波が起きる

春一番　小鳥が囀りを
響かせていた
河原の樹木は伐採され
テトラポッドが並んでいた
まだ震災は終わらない

復興しない
復興しない
と、云っている
私は
何もしていない

解体工事の始まった
友の家を
直視できずにいる
拾えなかった骨が
もう一度、崩れるようで

内陸を走るようになった列車から
畦道を
犬と散歩してる人をみている
日常を非日常が
追い越してゆく

こんな時だから
お式を延期しようと
電話をくれたお嫁さん
参列した人は
ひととき　華やぐことができました

津波の恐怖を乗り越えて
両親揃って
息子の結婚式に出席できた
これ以上の
歓びがあろうか

生きていた
それだけに感謝して
お正月の盃は
少し低めに
掲げる

薫風に抱かれて

自宅のテッセン

亡母の車椅子捌きが
目に浮かぶ
あんなに自由に
動き回れるまで
流した涙を思う

お洒落にカールしていた
母の白髪は
刈りあげられて
認知症の老人へと
作られてゆく

「母ちゃんの苦労
みていれば
何だって出来るはず」
そう　母さん
頑張り過ぎたよ　私

母に寄り添えば
時は戻るばかり
私を抱きしめて
泣いてばかりいた
母の心へと

ぼんやりと空を舞う
母の視線
その先で
遊んでいるのは
私なのか、母なのか

これが　最後かも
これが　最後かも
と思いながら
温かな母の手を
握る

天井を指差して
微笑む母
父が迎えにきたのかな…
私には
見えないけど

雪化粧した浅間が
窓枠いっぱいに
広がる
全部　母が
見せてくれてる景色

誰のお荷物にも
なりたくはないという
母の声に聞こえる
点滴の雫
ぽたり　ぽたり

母が逝った
一番美しい季節を
選んだように
薫風に抱かれて
逝った

お通夜の晩は
田圃の蛙が
お経を唱えてくれて
ただただ…遠くに
嫁いだことを詫びる

拾った骨の
軽さに泣く
苦しかったよという
母の呟きが
聞こえるようで

最後のひとかけらまで
母の骨を拾い集めて
骨壺に納めてくれた夫
その肩を
震わせながら

最期に握った
母の手
爪の形が
私とそっくり
しみじみと包む

ボロボロの肉体を
脱ぎ捨て
やっと自由になった
母の魂は
私の傍を離れない

たおやかという言葉が
似合う人だった
いつだって
誰かのためにだけ
生きた人だった

故郷　イコール
母
私には　もう
戻れる場所は
ない

薄紫の
レンズ越しの瞳は
慈愛に満ちていた
山藤の花の季節
どこそこに感じる気配

たとう紙を開くと
樟脳が香る
お洒落した母は
いつも
この匂いの中にいた

憔悴しきって
帰宅すれば
先回りして
母が待っていたような
薄紫のテッセンの花

母から貰ったもの

お寺 cafe 夢想庵

診断名がついて
何だかホッとした
この十年
言い様のない
違和感の中にいたから

出来ないことが増えてゆく
今のうちに
身辺整理をして
歩けるうちに
人に会いに行こう

命が無くなる訳ではない
自分が誰だか
分からなくなる訳でもない
でも
待っているのは闇

母もこんな不安の中で
生きていたのだろうか
寄り添っていたつもりでも
わかってあげられなくて
ごめんね

弱い立場になって
行政の窓口の対応に
傷つく
患っているのは
心のほうか

母から貰ったもの
挫けない心
人に対しての思いやりの心
そして
難病指定の病

歌が湧いて来ない
心までが萎縮して
私は
本当の病人に
なってゆく

薬の説明書を
しみじみと読む
改善するという文字に
心が
やんわり包まれる

娘に足の爪を
切ってもらう
病室に差し込む
冬の日差しに包まれて
天使と過ごすひととき

望むのは
さりげなく
腕を貸してくれて
私の歩調で
歩いてくれること

夫と
息子に挟まれて
鳥居をくぐる
守られるというのは
こういうことかもしれない

そのためだけの青

鳴瀬川

イヌワシの親鳥が
子に飛び方を
教えている
今日の空は
そのためだけの青

この世で
一番清しい匂いは
剥いたばかりの牡蠣
ぜんぶ
海になる

ブナの峰走りという
言葉を知ってから
この季節は
決まって
北をめざす

凍てつく日　空の青は
雪の上に
散歩中の
犬の影さえ
青く刻む

空港の除雪隊を
ホワイトインパルスと名づけて
あの広い空港の除雪を
10分でこなす
圧巻の作業だ

あ、
雪の匂い
子供の頃は知っていた
雪の降る前は
清らかな匂いがある

しんしんと
雪降る音までが
聴こえるようだ
子が帰り
それぞれの夜の淵にいる

子供の頃
絵日記に描いた
入道雲を飛び越える
いつか越えたかった
私という限界

空が
海になることがある
雲の層が重なりあって
波を造る
柔らかな海だ

本能で感じる
私が
一匹の獣だった頃
迎えた
大自然の中の夜明けだ

真夜中の台所には
自己嫌悪ばかりが
転がり
払拭するように
浅漬けの人参を刻む

茹でられて
あくを抜かれた
青菜のよう
人に
媚びると云うこと

突出したものが
受け入れられず
疎外感の中にいた
未だに
群れない理由だ

神は
乗り越えられない試練は
与えないというが
また
強くなるのか

今　生きている人間の
次に繋げる
意識がなかったら
伝統は
途絶えてしまう

生命線と
知能線が
交わらない私は
物事に動じない
事業家タイプと出た

叡智の瞳

浅間山（撮影／荻原葉子）

母校の
校歌で知った
叡智の瞳
私の目指すものは
いつもそこにある

故郷に
聳える山よ
君に逢えば
私の視線は
自ずとあがる

桜は満開なのに
雪を被ったままの
浅間山
母は
もっと小さくなった

青い空に
みどりの浅間が
聳える
母の里には
カエルの合唱が響く

私が逢いたいのは
君だ
私を知り尽くしている
君には
嘘はつけないから

君は
僕を選ばなかった
と、浅間山
夏空に
青く聳える

メリハリのある
色が好きだ
ふるさとの夏は
原色だけで
成り立っている

高原の夏は
太陽まで近い
私という影を
一瞬で　その場に
焼き付ける

どうだ、お前に
受けとめる力があるのか
そう問われているような
歌の前で
立ち尽くす

浅間の裾野を
雲海が
埋め尽くす
旅立つなら
こんな朝でもいい

沸き立つような原動力に
たじろぐ時もある
腹底にマグマを
隠し持つ私は
紛れもない　浅間の子だ

何も
恐れることはない
私のバックボーンは
浅間山
自分を信じるだけだ

遮るものなど
何もいらない
浅間の噴く息だと思えば
全身全霊で浴び
持ち帰るだけだ

こんな夜
故郷の裏庭では
桐の実の弾ける音が
響いているだろうか
雪の匂いがする

山が
深くなってきた
物云わぬ
男の懐に
抱かれにゆく

ボヤけてきた
自分の輪郭
確かめるため
冬の浅間に
逢いにゆく

山は
なだらかな裾野を広げて
私を抱き寄せる
いつだって此処に
帰ってくればいい

ドキッとするほど

温泉宿の飾りもの

責任という
衣を脱いだ
夫
私だけの
ものになる

生まれたばかりの息子を
膝に抱き
微笑む若き日の夫
ドキッとするほど
好きだと思う

いつも仲良しねと言われるけど
夫の半分は
私で出来ている
引き連れて
歩くしかないのだ

お母さんは、お父さんの事が
大好きだよね
歌会で娘はそう言われたと笑う
そうだ　大好きな男の
妻になったのだ

私に先立たれたら
ペッパーと暮らすと
夫が云うもので
ちょっと試してみた
オカエリナサイマセ　ダンナサマ

「フェルメールからのラブレター展」の
おかげで　夫と二人
仙台の欅並木が
色づくときを
満喫できた

夫から貰ったものを
たくさん身につけて
東京に向かう日
「楽しんでおいで」の言葉
一番光る贈り物だ

バラ園で
夫が急に走り出した
その先には
車椅子を押しあぐねていた人
私の夫は、 そういう人だ

やがては　残されたどちらかの
糧になるはず
今日も二人
取りとめのない話をしながら
日和山を歩く

終の住処を決める
桜の根元で
二人一緒に
土に還る
と

揺るぎのない眼差し

猪苗代ハーブ園

この世の全てに
感謝しよう
産声を聞いた時
体中の毛穴が全部開いて
プチプチっと音がした

夏の青空に
小さな産着が泳ぐ
太陽の光も　風のそよぎも
そのためにだけ
存在するかのよう

「ひ孫のために唄います」と
謡を披露する
曾祖父さん
会津で行われた
孫のお披露目会でのこと

齋藤家
六代目当主
だって…
小さな肩が背負う
脈々と続くもの

初めてのたっち
微妙に
バランスとって
ヘッピリ腰も
愛らしい

君が進める
あゆみは
のっし　のっしと
地球も軋むほど
力強い

絵本を抱えて
スリスリとお尻から
私の膝にあがってくる孫
柔らかな髪の毛の
甘い匂いがする

何て愛らしく
笑うのだろう
ばあばは
ママの
お母さんだもんね

兄弟なんだって！
嬉しそうに
弟の顔を覗き込む
頑張れ
お兄ちゃん

カナメのママだよ
いや、パパのママだよ
そのうち
カズネも参戦して
娘は女王様になるのだろう

孫という　可愛さ
孫という　重さ
孫という　危うさ
全部抱き締めて
私は　ばあば

子が産めない男は
人生の半分
損してるねと
出産直後の娘が云う
負けたと思った

朝の光に包まれて
娘が子に
授乳している
その横顔
観音菩薩様のよう

母さん
産んでくれて
ありがとう
娘に真顔で言われた
頑張ったねと抱きしめる

磐梯山に
見守られて
母親らしくなってゆく娘の
揺るぎのない
眼差し

萌子亭

萌子亭のお雑煮

堤防の雪を
掘り起こせば
柔らかな色の蕗のとう
刻んで炒めて
蕗味噌にする

湯気の向こうで
布海苔が
さあっとみどりになって
萌子亭の味噌汁は
とろっとした春仕様

コシアブラは天ぷらに
コゴミとアイコの葉は
胡麻和えにして
一人の男のために
萌子亭の暖簾を掛ける

丁寧に
新ジャガの面取りをして
肉ジャガを煮る
今夜の常連さんは
少し尖っている

ヤリイカの
腹を割いたら
イワシが一匹
食事中だったのか…
両方の命をいただく

マンボウの酢味噌和えに
夏が笑う
萌子亭の
お品書きに
夏限定を書きたす

蜩が鳴き始めれば
萌子亭に暖簾がかかる
米ナスの紫に
味噌が絡んで
男の箸が進む

大きな鍋で
秋刀魚のすり身汁を
煮る
石巻の秋は
海の匂い

銀のウロコを
身に纏ったイワシに
包丁を入れれば
皮はすうっと剥けて
私を板前にしてくれる

文の助茶屋という
夫の蕎麦屋は
不定期で
お客を選んで
振る舞われる

津軽塗りの漆器のような
柿の葉っぱの紅葉を敷いて
萌子亭の
祝いの膳は
華やぐ

萌子亭のお正月は
し〜〜んとして
見慣れた男が
ひとり
呑んだくれている

慣れ親しんだものは
手放せない
醤油も味噌も
糠床も
そして男も

萌子亭の調理場で
エプロンの紐を
キュッと結ぶ
会社の資金繰りに
頭が痛い夜

食材の
適材適所を思いながら
人の活かし方を考える
私は主婦である前に
企業人なのだ

歌集「海と生きる」

達成感に酔う
いや、自己満足か
少なくとも
私が形になった
それが歌集

そうか　私は
奮闘して
生きてきたのだ
人生が歌集となって
そう思う

泣いた　泣いた　泣いた
その為だけに
歌集を纏めたと云っても
過言ではない
先生の跋が送られてきた日

ちょっと愚痴ってしまった
それを聞いた
歌友のアドバイスが
洒落ていた
自分の歌と向き合うだけよ

かつて諳じた
万葉集の歌と同じレベルで
心に沸き上がる
五行歌人の
歌がある

歌集を肴に
酒を酌み交わす
友のいる幸せ
「いかったよ」って泣くから
もらい泣きホロリ

ぎゅうっと
抱きしめたくなる
歌集です
その言葉に
心ごと抱かれる

ふふ
ついに読んだわね
夫の言葉の端々に
私の歌
小さく踊る

歌集を作って
副産物があったとすれば
夫と向かい合って
歌の話をする
そんな楽しい時を得た

アンタらしい
アンタ、そのまんまよ
同級生は
共に過ごした時を基準に
私の歌集を語る

頂いたお手紙で
いっぱいになった宝箱
開けると
潮の香りが漂う
もうひとつの海

「あなたの歌集
いつもバッグに入れているわ」
そんな人がいて
ゲーテの詩集に
匹敵する心地

亡父の最期の職場だった
小諸図書館に
『海と生きる』が寄贈された
最初にみつけるのは
あの分厚い掌だろう

○月号のあの歌に
心　惹かれましたと添え書き
嬉しい～なあ
うたびととの　心の交流は
こんな言葉にある

歌集
また　読み直してるよ
何よりの励ましの
詰まった
年賀状が届く

共鳴してくれる人がいる
たった一篇の歌に
心揺さぶられたなんて
もったいなくて
泣けてくる

自分の歌集に
抱きしめられる夜がある
だからこそ
背中押したい
人がいる

綴りごと

エッセイ

平成27年8月〜11月まで『石巻かほく』のコラム「つつじの」に掲載されたものを抜粋しました。

藤村先生に感謝

私は信州小諸の出身で、結婚により宮城にやって参りました。

信州は旅行などで行ったことがある方が多く「よい所ね」と言っていただけるのですが、小諸をご存じの方は少ないように思います。

最近は、浅間山が小規模噴火して話題になったので「浅間山の麓の町です」とお話ししています。浅間山は、私が子供の頃も数回噴火し、火山灰が降る中、傘を差して小学校に通った記憶があります。

山の麓で暮らせば、その山と共存して生活するのが、自然と共に生きてゆくことなのだろうと思います。

小諸は、新幹線の誘致を反対したために、すっかり寂れた場所になってしまいましたが、「小諸なる古城のほとり」で始まる島崎藤村の有名な「千曲川旅情の歌」の歌碑がたたずむ懐古園は、歴史的にも大変珍しい穴城の跡を城址公園としています。天守閣などは残っていませんが、三の門や苔むした石垣は、一度はご覧いただく価値はあると思います。

夫とは高校時代、青少年赤十字の大会で出会い、8年間の文通を経てゴールインしました。私が19歳のとき、父は他界しましたが、懐古園で島崎藤村記念館の館長をしていた時期もありました。

父と夫は、一度だけですが藤村を肴に酒を酌み交わしているのです。

その夜、父が母にこう話したそうです。「もし、あの青年が将来、娘を嫁に欲しいと言ってきたら、快く承諾しよう」。結婚を決めたとき、夫はまだ教員採用試験に合格していなくて、講師の立場で勤務していました。それでも母が全く反対しなかったのは、父のその言葉のおかげであったことを後から知りました。

あれから35年の月日が流れ、一度だけ酒を酌み交わした若き日の夫に惚れ込んだ父と、その橋渡しをして下さった島崎藤村先生に感謝したいと思うのです。

お盆

今日からお盆ですね。盆棚の準備や遠くから帰ってくる、ご家族を迎える準備で忙しい朝をお迎えのことと思います。震災の後は、人それぞれ深い悲しみの中でお盆の用意をされている方も、たくさんいらっしゃることでしょう。心からお悔やみ申し上げます。

お盆になると、里心がついて無性に故郷に帰りたくなります。小諸の夏は、海抜が高いせいでしょうか、太陽が近いように感じます。全部がくっきりとして、煌めき立つようにさえ、感じるのです。

私の出身高校が海抜850メートルですから、上品山より高いです。Tシャツを干せば、アイロンでも掛けたと思うくらい、ピシッと乾きます。

子供が小さかった頃の里帰りは、夕飯を済ませてお風呂にいれて、車で寝かしながら8時間あまりの道程を、魚を運ぶ長距離トラックをひたすら追いかけてゆく強行軍でしたが、とても懐かしい思い出です。

故郷のお盆には、郷愁に近い思いがあります。座敷からは、遠くで打ち上げられる花火がみえて、盆踊りのお囃子が聞こえます。提灯の明かりが、影絵の様に回ります。

子供の頃、お盆様のお膳が気になって、祖母に訪ねてみたことがあるのです。「家のご先祖さんは、皆心の優しい人達だったから、帰る家のない人達をお連れして帰ってくるから、お客さまの分だよ」。その話を聞いて、私は子供心にとても温かい気持ちになりました。

今は、母として帰省する子や孫を待つ立場になり、故郷でお盆を迎えることはできませんが、夫の生家で、ナスの牛やキュウリの馬を作りながら、祖父や祖母、そして父やご先祖様がたくさんのお客様をお連れになり、賑やかに過ごしているだろう故郷のお盆に、混ざりたくてしかたがないのです。

つなぐ

戦後70年の節目を迎えて、今の平和は多くの人の尊い命を犠牲にした上にあるという事実を改めて考える機会を与えられているように思います。

戦争を知らない世代だといっても、生まれる10年前は、ようやく戦争が終わり、混沌としていたわけです。私の父は、志願して予科練に入り、本当はゼロ戦のパイロットになりたかったようですが、目が悪かったためにそれは叶わなかったそうです。

その後、海軍に配属されて「回天」の訓練を受けました。「回天」とは、人間魚雷です。敵の潜水艦に体当たりして海にその命を散らした若者が何人いたのでしょう。白い水兵の服を着て写真に写る父は、まだあどけなさが残る面持ちでした。

あと3日戦争が長引けば、父も出撃を命ぜられ、若い命を散らしたことでしょう。特攻の順番が書かれた木札は、今でも実家に残っています。そして、私もこの世に誕生することはなかったと思うと、背筋の凍る思いがします。

父が早く他界したため、私は父と大人の話をしていませんが、仲間が特攻で次々と死んでいく中で、自分が生き残ったことに、負い目を感じていたようなところがありました。

おそらく、戦争を体験された父の世代の方々は、少なからずそんな思いを抱えて戦後を生きて来られたのだろうと思います。

戦後、高度成長してゆく日本で戸惑い傷つき、恐れさえ感じて生きてきただろう父と、きっちりと話ができなかったことが残念でしかたありません。

戦後父が開墾した土地には、美味しい石垣イチゴが実りました。その後、市の職員に採用された父は、勉強して司書の資格を取り、図書館の職員などを長く勤めました。

そして今、私の息子が大学で司書として勤務していることを一番喜んでくれているのは、父なんだろうと思います。

8月1日に生まれて

今年ほど、特別な思いで迎えた川開き祭りはありません。来年定年退職を迎える夫が、小学校の鼓笛隊パレードの先導で街を歩くからです。

昨年は、娘の出産とぶつかり、実際にその姿を見ることができませんでしたが、今年はその時に生まれた孫と娘、婿、それから娘の嫁ぎ先のご両親とで沿道から声援を送ることができました。

夫の姿を目の前にしたとき、予想外に込み上げるものがありました。脇で娘が「じぃーじ」「じぃーじ」と叫んでいます。一瞬、夫がこちらをみて微笑んだように感じました。

その決定的瞬間を婿は逃がさず、カメラに収めていました。私は形振り構わず手を振っています。そして、夫は満面の笑みを私に向けています。いえ、本当は私達にというべきなのでしょうが、そう思いたい私とシャッターを切った婿は「絶対にお母さんに微笑んだ」と証言してくれています。

娘夫婦は、なかなか子宝に恵まれず、7年目にしてようやく授かった孫です。1年前、生まれた孫に面会して産院を出るとき、孫の誕生を祝ってくれているように、大きな花火が夜空いっぱいに広がっていました。

やっとつたい歩きができるようになった孫に、一升餅を背負わせる儀式を行うために、車座になり大人6人は、思い思いにカメラを構えます。皆、なんて幸せな顔をしているのでしょう。ドラえもんのリュックに入れられた紅白の餅は、重たくて、すぐに尻餅をついてしまった孫ですが、それでも一升餅を背負ったままハイハイしていました。

儀式が終わった後、娘から誕生日に一言書いて欲しいと、便箋を渡されました。孫が18歳になったら渡してあげる、タイムカプセルみたいなものだそうです。10年間幼稚園教諭として働いた娘らしい演出だなと嬉しく思いました。

とっておきの話

私の夫は、夢を叶えた数少ない人だと思います。中学時代の恩師に「先生に向いている」と、アドバイスをされたのがきっかけだと聞いています。教師になってからは、夢と現実の狭間で、随分苦悩している姿を傍らで見てきました。そんな夫が、本当に嬉しそうに話してくれた、とっておきの話を思い出しました。

女川第六小に勤務していた頃のことです。給食に出たイチゴを食べながら「お前達は、いろいろなものの命をいただいて、成長しているんだ。イチゴだってこの粒ひとつ、ひとつが命なんだぞ」。夫の言葉を受けて「じゃあ、先生、これを撒けば、イチゴが芽を出すってこと?」

さあ、これからが大変だったそうです。イチゴの実から種を取り、一粒、一粒を濡らした脱脂綿に並べて観察すること一週間、イチゴは芽を出したそうです。残念ながらそのイチゴの芽は、土に植え替えたとたんに、枯れてしまったそうです。

がっかりしていた子供に「必ず実らせて、一緒に食べよう」と約束したのに、予想外の転勤で、学校を離れることになった夫は、子供達に、「嘘つき」と言われたことが忘れられないそうです。

　この話には、続きがあって、そのあと、担任された先生によれば、花壇の片隅には、この子供達の手によりイチゴが実ったそうです。どのような過程で作られたのかは、残念ながらわかりません。

「女川は壊滅的…」と言われたあの震災の最中、夫は女川第二小の校長として、陣頭指揮を執りました。新任時代を江ノ島の女川第五小で育てていただき、少しはご恩返しできたのでしょうか。私達夫婦にとっての女川は、第二の古里以上の場所であり、感謝の念とともに、いつでも寄り添っていたい温かい場所なのです。

ジャガイモ

今年も信州からジャガイモが送られてきました。高原で作られたものは、ホクホクして味がいいように感じます。

子供の頃、母が働いていたため、夕飯の支度は祖母がやっていました。私は、お手伝いによくジャガイモの皮むきを頼まれました。祖母も子供の頃、ジャガイモの皮をむくのが大好きで、悲しいことがあっても、ジャガイモの皮をむいていると忘れてしまうほどだったそうです。

「いつか、おばあちゃんがいなくなったら、お前がジャガイモの皮をむくときに、おばあちゃんのことを思い出しておくれ」。私は「おばあちゃんがいなくなることなんて、絶対にない。嫌だ」と泣きました。

その日が来たのは、私が高校2年の秋でした。明け方、誰かに呼ばれた気がして、目を覚ましました。ふと、気になって祖母が寝ている茶の間に行ってみると、息を引き取る寸前で、祖父と母が傍らで見守っていました。

祖母は、亡くなる5年前に倒れて、体が不自由になりましたが、気丈にリハビリを頑張り、トイレだけは自分で行けるまでになっていましたが、日に日に弱ってきていました。

「おばあちゃん」と呼んでみましたが、祖父が首を横にふり「引き留めてはいけないよ」と言いました。ご飯が食べたいと言って、炊きたてのご飯を一口食べて、水を飲み「世話になった。ありがとう」と指輪を抜いて母に渡し、掌で合わせ鏡を始めました。

それは、人が旅立つ前に行う儀式だと祖母から教えられた通りのことを、目の前で実践してくれたようでした。今でも、ジャガイモの皮をむくときは、祖母とのかけがえのない時間です。「頑張ってるね」と頭を撫でられているような気がします。だからでしょうか、我が家では、ジャガイモのお料理がとても多いのです。

ブルー・ベルという花

東日本大震災前まで、インターネットの世界に日記を投稿することに夢中だった私は、そこで知り合ったイギリスの女性を頼って、イギリスへの旅を企てました。お互いに相手のことがよくわからない状態でしたので、皆に心配されましたが、私はそれを決行してしまったのです。

ハリー・ポッターの映画に出てきそうな森の中の一面に、「ブルー・ベル」という花が咲く季節があるという日記に、すっかり魅せられて、実際にこの目でみてみたいという気持ちを抑えられませんでした。スズランに似た背丈で、濃いブルーの花が咲くのです。

ちょうど、アイスランドの火山が噴火していて、イギリスのヒースロー空港が、その噴煙で閉鎖されることも多い時期でした。この花の咲く時期は、5月の連休辺りと決まっていましたし、休みを頂くのには都合のよい時期でもありました。何を考えているんだと怒っていた夫も、私を心配して、同行してくれました。

ロンドンのホテルに一泊し、観光をした後、迎えのタクシーで石巻から気仙沼くらいの距離を移動して、リースコートの友人の家に到着したとき、私達は息をのみました。そこはお城のような建物で、果てしなく広い庭が私達を迎えてくれました。「ブルー・ベル」も道路脇の森の一面に、満開の花を誇っていました。

毎日が夢のような時間でした。

マーケットに買い物に出掛け、地元の食材に一喜一憂し、イギリスの家の豪快な家庭料理に歓声をあげたりして、ツアーでは味わえない旅を楽しむことができました。

その家の子供達から、イギリスの教育事情などの話を聞くことができた夫も大満足で、どの写真も笑顔に溢れていました。

テレビのコマーシャルではないですが、「行動してみる」。それが案外、よい結果を生み出してくれると私はいつも信じています。

サンタの落とし物

二人の子供に「小さかった頃、何が一番嬉しかった？」と尋ねてみると、口を揃えて「お父さんとドラえもんの映画を観たあと、丸光で食べたサンタの落とし物」という返事が返ってきました。

サンタの落とし物とは、ガラスで出来たサンタクロースの長靴にソーダ水が入っていて、そこに小さいホットケーキがついているのだそうです。

ドラえもんの映画に行っていたのは、知っていましたが、まさか丸光のレストランでそんな時間を過ごしていたとは、全く気がつきませんでした。「お母さんには内緒にしておくように」と言われた子供達は、それを守っていたようです。

長い休みになると、石巻の中瀬にあった岡田劇場では、子供向けの映画が上映され、二人の子供達は、父親と出掛けるのを楽しみにしていました。私にとってもその時間は、美容室に行ったり、好きな陶器のお店巡りをしたり、自由に使える時間となっていました。

若い頃、夫は少年野球の監督やママさんバレーのコーチなどをしていたため、休みの日になると、ユニフォーム姿で出掛けて行きました。放課後は練習があり、仕事を持ち帰る人ではなかったため、子供達と夫が食卓を囲むことは、ほとんどありませんでした。

息子が小学校に入学して暫くたった頃、「お母さん、学校の先生って、すごいんだよ。何でも知っていて、僕達に教えてくれるんだよ」と目を輝かせるものだから、「あなたのお父さんも学校の先生なのよ」と言ってみたら、「それは本当のことなの？」と飛び上がって喜びました。

ほとんど子育てに関わることが出来なかった夫なのに、「一番いい所を持っていかれたなあ」と嬉しい反面少し嫉妬している私です。

猫のマイケル

娘が小さかった頃、大切にしていたマイケルという茶トラの猫の縫いぐるみがありました。確かテレビの人気キャラクターだったように記憶しています。擦りきれたところは、繕いながらも娘の成長とともにその役目を終わったマイケルに感謝しながら、そっとゴミに捨てたのが、昨日のことのようです。

その10年後に縫いぐるみのマイケルは、迷い猫として我が家にやって来たのです。どうやら親に捨てられたらしく、庭の片隅から出て来ました。

とりあえず、牛乳を与えて様子を見ることにしました。娘は、家で飼いたかったのですが、私は猫が苦手だったため、車庫で飼うことだけ許可しました。ところがある日、ボス猫に追われ、脚を骨折してしまい、仕方なく家で飼うことになりました。

やがて娘は、進学のため福島に行き、我が家は夫とマイケルの三人？ 暮らしとなりました。しばらくして、古屋を解体し、新居を建てることになり、仕方なくマイケルを日和山に残して仮住まいをしたのです。夕方餌を与えてに行ったり、お隣のおばちゃんにもお世話になったりしました。

家が完成して戻ってみると、マイケルが緑の大きなリボンを着けて、塀の上を走る姿をよく見るようになりました。他所のお宅の猫になったんだと、ホッとしたものです。

今から10年前の文化の日、その日は、娘の結納で、朝からバタバタしていました。ふと気づくと庭のテーブルにマイケルがいて、じっとこちらを見ていました。結納が終わり、見てみると、そこにマイケルの姿はありませんでした。

それ以来、マイケルを見かけることはありませんでした。きっと娘に最後のお別れを言いにきてくれたんだねと家族で話しています。猫のマイケルは、今も家族の記憶の中で生きています。

太陽山青空寺

朝夕すっかり冷え込んできて、辺りが秋色に染まる季節になりました。もう白鳥も飛来したようですね。頭上で鳴き声がします。

紅葉を求めて、旅を計画されている方もおいでになることでしょう。

私の古里である信州小諸も、一足早く秋色の中だと思います。浅間山は、この季節赤紫に色をかえます。島崎藤村の「千曲川旅情の歌」の歌碑のある小諸城祉懐古園も、赤一色に輝きます。そして、遠く草笛の澄んだ音色が、響くのです。

懐古園には私が子供の頃から、石垣の下で草笛を吹く和尚さんがいました。「ふるさと」「椰子の実」「千曲川旅情の歌」など…。子供心にもその調はもの悲しく、郷愁を誘うもので、観光客に混ざって聞き入ったものです。人々からは「草笛禅師」と呼ばれ、親しまれていました。

昭和33年から亡くなる同55年までの22年間、「太陽山青空寺」として座禅を組み、訪れる人々に草笛を吹くなどして、これを「修行」として暮らしていたのです。

中には、ホームレスのような暮らし方をあざ笑う人もいたようですが、その柔和な表情や草笛の音色には、そこを訪れる人々の心を癒す確かな力があったと私は思っています。そして和尚さんが、宮城県の登米の人であったことは、とても不思議なご縁です。

今では、スイッチを押すと、当時の草笛の音色が響くような機械も設置されて、馬場を歩けば、玉砂利の音に混じって禅師の草笛の音色が、何処からともなく聞こえてきます。

次回のNHKの大河ドラマは「真田幸村」と決まり、小諸や上田方面は歴史に興味のあるツアー客などで一層賑わうことでしょう。

その前にゆっくりと秋の小諸を旅なさってみてはいかがでしょうか。旅には必ずといっていいほど、素晴らしい出会いが待っているものです。

新米の季節

そろそろ新米が食卓に上がる頃でしょうか。炊きたてを「あふ・あふ」しながら、口に運び何のおかずも必要のない至福の瞬間です。日本人でよかったと染々感じます。

ところで、お米の花を見たことがあるという方は、どれほどいらっしゃるでしょう。白い小さな花は、昼間2時間ぐらいしか咲いていないそうです。

農家で米作りされている方も、はっきりとは知らないと仰います。その年によって違いはあるのでしょうが、7月下旬からお盆の前辺り田圃の畦道を歩くと、ふんわりとご飯の炊き上がる匂いがします。これがお米の花の匂いです。

田起こしが始まり、水田に水が張られる季節、5月の連休の前後、栗駒や山形に出掛けると、水面には雪を被った山並みが映ります。

田圃に／水が入って／山が／空が、映り込む／風の翼も見えるよう農家の人々が、忙しそうに田植えの準備をしています。福島では山に残った雪がウサギの形に見えたら、田植えをするそうです。白石では、残雪が袈裟を来たお坊さんの姿に見えたら、田植え時期だと言います。今も自然の教えを大切に暮らしている姿に、感動しました。

私は早苗のみどりが一番好きな色です。

すべてがモノトーンになる／梅雨空の下で／稲田だけが／特別なみどりを／生む命の源のように、力が湧いてくる色です。

季節が移ろい、黄金色に変わった稲は、刈り取られて、人々を笑顔にしてくれます。育てていただいた農家の皆様に感謝して、そのお米を噛みしめましょう。宮城のお米は、本当に美味しいのですから。

息子がいたころは、1か月30キロのお米では足りませんでした。ご飯の大好きな息子に、新米を荷造りしながら、母の送ってくれた荷物を思い出しています。親とは、バカがつくくらいありがたいものです。

原点は宝の島

夫は、正式採用される2年前、中学校の臨時教師として牡鹿半島の江島に赴任しました。江島には、女川から「江宝丸」という定期船が1日2往復、50分ほどかけて動いていて、島民の生活を支えていました。

その頃の手紙は、この島での楽しい暮らし、素直な子供達の様子、新鮮な魚介類の話など満載でした。山育ちの私には、胸がわくわくする内容ばかりでした。

1年間の期限つきでしたので、私が同じ体験をするには、押し掛けるしかなかったのです。3月には島を離れることが分かっていながら、1月に挙式を済ませ、無理やり島に渡りました。当時の校長先生のご厚意により、新婚生活は校長住宅で始まったのです。

毎日退屈だろうと、島長さんが心配してくださって、私は島の保育所で保育助手として働かせていただくことになり、島のお母さんや子供達ともすぐに打ち解けることができました。

この3か月の経験があったからこそ、生後2か月の息子を抱いて迷うことなくもう一度、この島に戻ることが出来たのです。「ここが俺達の原点だから、希望したよ」夫はそう言っていました。

この島での暮らしは、まさに竜宮城で過ごした、浦島太郎状態だったと思います。息子のおしゃぶりは、蒸したアワビだったり、朝、戸を開けると、バケツのウニが辺りを動き回っていたり…。そのウニを頬張れば、母乳は溢れんばかりでした。

その後、私達家族はこの島で娘を授かり、島の人々の温かさに包まれて、ゆったりと子育てを楽しみました。ここでは、時計の針の進み方も違うのではないかと思うほど、ゆっくりと時が流れるのです。

夫と江島の思い出話をすると、自然と笑みがこぼれます。あの時、手鍋提げても押し掛けて本当に良かったと思います。やはり、女は強しということでしょうか。

跋

草壁焔太

萌子さんの人柄の中核にあるのは、

母校の
校歌で知った
叡智の瞳
私の目指すものは
いつもそこにある

であろう。一生を叡智に憧れ、学びつづけた。その父もそうであった。その父が一夜話して、娘の夫になってもよいと認めた夫君もそうであった。叡智に憧れる人の系譜の中で、彼女は生きたのである。

五行歌人のみなさんに知ってもらいたいことが一つある。五行歌人たちが歌集を出す度、それをずっと購入して読んで学んだ人は、萌子さん一人であった。残念ながら、ほかの方が購入しないと知って、ぜんぶということはしなくなったが、私もこれには頭を下げたくなる。みなさんもそう思うであろう。

叡智はそのようにして人に宿るものではないか。

父君が小諸懐古園の中にある島崎藤村記念館の館長さんをしていたと知った時、私の胸にもああと思うことがあった。

小さな記念館だが、とてもよい記念館で、私はここを去りがたく集合時間に遅刻してしまった。文学的に一番挑戦的に生きた藤村が、ここで生きているような気がしたのだ。私が集合時間に遅れたのはこの時以外になかった。知りたいという気持ちを起こさせる記念館であった。

凍てつく日　空の青は
雪の上に
散歩中の
犬の影さえ
青く刻む

この世で
一番清しい匂いは
剥いたばかりの牡蠣
ぜんぶ
海になる

こうした自然描写にも、ものを見通した深みが加わっている。

解体工事の始まった
友の家を
直視できずにいる
拾えなかった骨が
もう一度、崩れるようで

よほど
恐ろしい思いをしたのだろう
初めてみる
夫の
虚ろな瞳

東日本大震災の後の歌も切ない。夫君は女川第二小学校の校長で生徒や地元の人を守り抜いた人であったが、すでに決まっていた人事異動で三月末には現場を離れざるを得なくなり、そのために苦しんだという。

第一歌集『海と生きる』は、大変好評な歌集で、珍しくも再版したほどであった。この第二歌集は、彼女が母を失い、仕事を与えた義父を失うという喪失の後の歌集である。そして、母を苦しめた難病が、彼女をも苦しめるようになった。また義父の後を継いで、事業の経営も続けた。

私は、これから始まる難病との戦いが、歌集を出版する契機となったのではないかと思っていた。

叡智の人、理性の人である彼女にとって、体の動きが十分でなくなる病は、重大事である。自分の理性や体がまだ働いている間に、自分自身を刻み込む歌集を作りたかったのではないか。

私は叡智の人の渾身の決意を感じた。それでこそ、萌子さんであろう。

神は
乗り越えられない試練は
与えないというが
また
強くなるのか

このみどり
おまえは歌で
残せるのか
山が
せまる

娘に足の爪を
切ってもらう
病室に差し込む
冬の日差しに包まれて
天使と過ごすひととき

その決意を讃えたいと思う。その重みを感じさせないために、この歌集の名は、『春が来たよ』なのか。

あとがき

東日本大震災から、十年の節目の年になりました。震災当時は、たくさんの励ましやご支援をいただき、ありがとうございました。

震災のあと、心の復興の役にたてばと、夢中で仕上げた歌集『海と生きる』でした。時々、ページを捲りながら当時を思い出して、気持ちを新たにしています。

あの震災で、折角命をいただいたというのに、いったい私は何をしてきたのでしょう。その答えは、自分の歌にあるような気がして、もう一度自分の歌と向かい合うために、第二集を刊行する決心に至りました。この十年で、残した歌は、八百首を越えていました。実際にはその倍くらいの歌を詠んでいると思います。

十年の間には、母や義父との辛い別れがありました。夫も無事定年退職を迎えました。息子は、結婚して、父親になり、娘のところにも孫が生まれ、私は三人の孫のばあばになりました。人生の最大の歓びを味わいましたが、その度に亡くなっていった友や、まだ行方不明の家族を探している方々に申し訳なくて、心が痛むのです。

最近、漸く自分の命がある限り、鎮魂を歌に込めて詠み続けるのが、私の使命なのかもしれないと、思えるようになり、歌作りに励んでいます。

昨年、偶然ですが姪が絵を描いていることを知り、彼女の描いた桜の絵に一目惚れしました。どうしても、手元に置きたくて、購入して今回の歌集の表紙に決めました。この絵のタイトルが『春が来たよ』でした。

今年の運勢によると、自己投資に最適だと出ました。何だか背中を押されたような気持ちです。自己投資とは、自分の成長のためにお金と労と時間を惜しまないことなんだそうです。自分のために纏めた歌集ですが、手にされた方に、何かしら感じて頂けたら幸いです。

あまりに急に決断をして、本部の皆様には、無理難題を押しつけてしまい、大変申し訳なく思っています。本当にありがとうございました。

被災地でも多くの人々は、前を向き歩きだしました。歩幅は人それぞれですが、私には五行歌という発信ツールがあって、本当に良かったと思います。これからも、五行歌と共に歩いて行きます。

五行歌を発案してくださった草壁主宰には、心より感謝申し上げます。

いつの日か、三人の孫達がこの歌集を開いてくれることを夢みて、私の思いの全てを込めました。

二月三日　　立春

萌子（もえこ）
1956 年 長野県小諸市に生まれる。
雄大な浅間山の麓の町で、山に見守られて生きて来た。
小諸高校を卒業後は、病院勤務。

高校時代に知り合った夫と 8 年の遠距離交際を経て、結婚。
牡鹿半島の江島で、新婚時代を過ごし、夫の転勤で石巻市に来て、36 年になる。

2003 年　五行歌の会に入会。
現在は、義父から預かった会社の代表取締役を勤めている。

五行歌集（ごぎょうかしゅう）　春が来たよ

2021 年 4 月 5 日　初版第 1 刷発行

著　者　　萌子
発行人　　三好 清明
発行所　　株式会社 市井社（しせいしゃ）

〒 162-0843
東京都新宿区市谷田町 3-19 川辺ビル 1F
電話　03-3267-7601
http://5gyohka.com/shiseisha/

印刷所　　創栄図書印刷 株式会社
絵　　福 あゆ美
写真　　著者
装丁　　しづく

ISBN978-4-88208-184-5

五行歌五則

一、五行歌は、和歌と古代歌謡に基いて新たに創られた新形式の短詩である。

一、作品は五行からなる。例外として、四行、六行のものも稀に認める。

一、一行は一句を意味する。改行は言葉の区切り、または息の区切りで行う。

一、字数に制約は設けないが、作品に詩歌らしい感じをもたせること。

一、内容などには制約をもうけない。

五行歌とは

五行歌とは、五行で書く歌のことです。万葉集以前の日本人は、自由に歌を書いていました。その古代歌謡にならって、現代の言葉で同じように自由に書いたのが、五行歌です。五行にする理由は、古代でも約半数が五句構成だったためです。

この新形式は、約六十年前に、五行歌の会の主宰、草壁焰太が発想したもので、一九九四年に約三十人で会はスタートしました。五行歌は現代人の各個人の独立した感性、思いを表すのにぴったりの形式であり、誰にも書け、誰にも独自の表現を完成できるものです。

このため、年々会員数は増え、全国に百数十の支部があり、愛好者は五十万人にのぼります。

五行歌の会　https://5gyohka.com/
〒162-0843東京都新宿区市谷田町三―一九
川辺ビル一階
電話　〇三（三二六七）七六〇七
ファクス　〇三（三二六七）七六九七